El elefante de mal humor

Cuento de Joy Cowley
Ilustraciones de Girvan Roberts

—Estoy de mal humor
—dijo el elefante.

2

Entonces llegó el mono.

—Pobre elefante.
Te tocaré algo para ti —le dijo.

3

—Estoy de mal humor
—dijo el elefante.

4

Entonces
llegó el loro.

—Pobre elefante.
Te cantaré algo para ti
—le dijo.

5

—Estoy de mal humor
—dijo el elefante.

**Entonces
llegó la jirafa.**

**—Pobre elefante.
Bailaré algo para ti —le dijo.**

7

—Estoy de muy mal humor
—dijo el elefante.

9

squawk
squawk
screech
screech

thump thump
clipperty clop

boom
boom
boom
—¡Más fuerte! ¡Más fuerte!
¡Más fuerte!
—dijo el mono.

10

—¡Paren ese **ruido!**
—el elefante dio un bufido.

El loro dio un salto
y cayó sobre la jirafa.

**La jirafa dio un salto
y cayó sobre el mono.**

**El mono dio un salto
y cayó en su tambor.**

in in ja ja ja ja ja ja ja ja ja

—Ya no estoy de mal humor
—dijo el elefante.